KB089564

박수경 동덕여자대학교에서 성악과, 큐레이터학과를 복수 전공했습니다.
이후 미술품 경매회사 '케이옥션'과 온라인 아트 플랫폼 '누아트' 등에서 근무했습니다.
어려서부터 글쓰기를 좋아하고, 현재 영유아 출판&디자인스튜디오 '바바북스' 대표로 아이들을 위한 예술 서적과
완/교구를 만들고 있으며, 'YTN 사이언스' 등 미술 관련 방송과 강의로 대중들에게 예술을 알리고 있습니다.
어린이 명화책 시리즈 『뭐야? 동물이야』, 『뭐야? 사랑이야』, 『뭐야? 동그라미, 세모, 네모야!』의 글을 썼습니다.

이희재 이화여자대학교 미술대학에서 시각디자인을 전공했습니다.
30여 년간 북디자이너로 활동하였고, 바바북스의 공동대표로 크리에이티브 디렉터를 맡고 있습니다.
『베이비 아트북』 시리즈, 『세밀화로 보는 클래식 낱말카드』 등을 기획, 편집했습니다.

FIRST ART BOOK

뭐야? 자장자장 What's this? It's a Bedtime Story! 박수경 글 / 박수경·이희재 큐레이션

펴낸날 1판 1쇄 2024년 5월 9일 **펴낸곳** 바바북스 **펴낸이** 박수경 **디자인** 바바북스아뜰리에
등록 제2022-000182호 **주소** 경기도 고양시 덕양구 권율대로671 **팩스** 0504-339-0151
홈페이지 www.bababooks.kr **이메일** bababooks@bababooks.kr instagram.com/bababooks.kr
ISBN 979-11-93787-01-4 77650

FIRST ART BOOK

뭐야?
자장자장

What's this? It's a Bedtime Story!

BABA

숲속의 요정이 나눠주는 씨앗을 본 적 있나요?

잠들기 전 눈을 감고 기다리면
요정이 나타나 씨앗을 주고 간대요

“소중한 아이야, 네가 잠 들 때면
저 밝은 달과 별이 너를 지켜줄 거야.
그러다 아침이 오면 우리 새로운 모험을 떠나보자”

포근한 밤하늘 아래, 스르르 잠이 들어요

숲속 동물 친구들과 즐겁게 노닐다
깜빡 잠이 든 아이

뉘엿뉘엿 해가 지자
하얀 달빛 이불 덮고 코오 – 잠을 자는데
어디선가 들려오는 아름다운 소리

나뭇잎이 속삭이며 노래하고
졸졸졸 시냇물도 잔잔하게 흐르는데

어둑어둑 밤은 깊어 가고
듬직한 나무 아래 외롭지 않도록
너도 나도 모여든 토끼, 다람쥐, 사슴까지

다같이 도란도란
달콤한 꿈을 꿨대

산마루에는 옹기종기 집들이 모여 있어요

햇빛 가득 내리쬐는 아침이면 빨강, 노랑, 파랑, 초록
제각기 뽐내며 축제 같은 하루를 보내요

그러다 밤이 찾아오면
알록달록 색깔들은 차분하게 내려앉고
하암~ 하품하며 잠잘 준비를 해요

“이제 그만 잘 시간이야.
내일 아침 해가 뜨면,
우리들의 색은 다시 피어날 거야”

꾸벅꾸벅
사랑스러운 두 천사의 눈꺼풀 위로

살금살금
고요함이 내려앉고

쌔근쌔근
꿈나라로 떠날 준비를 마쳐요

머리 위로
나비들이 팔랑거리며

꿈나라로 가는
마법의 가루를 흩날리면

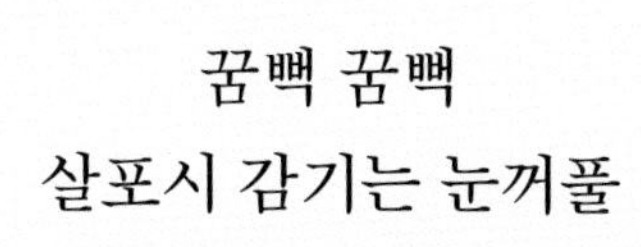

꿈뻑 꿈뻑
살포시 감기는 눈꺼풀

꿈 속에서 만나자
우리 또 신나게 뛰어놀자

야옹– 야옹
나지막이 울려 퍼지는 아기 고양이 울음소리

부드러운 이불 위로 뒹굴뒹굴
노오란 털실공 굴리며

야옹– 야옹
"친구야, 나는 오늘 밤 꿈에서 생선을 쫓을 거야!"

"그럼 나는… 구름 위를 걸어 다닐래!"

야옹– 야옹
열심히 토론하는 앙증맞은 고양이들

모두가 잠든 새벽

엄마의 나지막한 속삭임

“자장 자장,
사랑하는 내 아가야.
엄마는 언제나 네 곁에 있을 거야”

지긋이 내려보며 탐스런 이마를 쓸어 내려요

“지금 이 노래가 네 마음에 새겨져
어른이 되어도 귓가에 울려 퍼지기를”

Klee

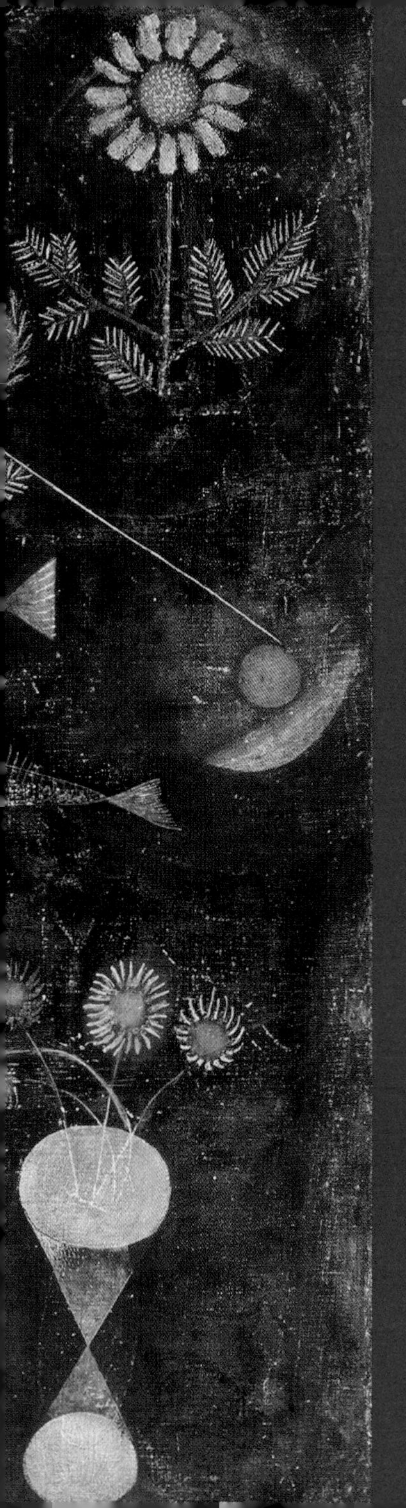

어느날 밤, 하늘을 올려다보았더니
글쎄 반짝이는 별들 틈새로 물고기들이 헤엄치는거에요

"물고기들아! 너네 왜 거기 있어?"

그러자 헤엄치던 물고기 한 마리가
소리를 듣곤 아래를 내려보며 말했어요

"뻐끔뻐끔 – 꼬마야, 여긴 우주 바다야.
모두 다르게 생긴 물고기들이 달과 별 사이를 헤엄친단다"

물고기가 둥근 달 주위를 한 바퀴 돌았어요

"물고기야! 나도 헤엄치고 싶어!"

꼬마가 열심히 팔을 휘젓자 점점 하늘로 몸이 올라가더니
하늘까지 닿았어요

그리곤 수많은 물고기들과 하하호호 웃으며
우주 바다에서 자유롭게 헤엄쳤답니다

쉿! 쉬잇!

엄마는 모두를 조용히 시켰어요

“자, 다들 방으로 들어가. 오빠 푹 자게 도와주자”

하지만 –
왜 소리가 더 내고 싶은걸까요?

괜히 벽난로 한 번 뒤적이고
괜히 의자를 한 번 끌어보고

괜히 “멍!”
멍멍이도 짖어요

“아이쿠, 오빠 잠은 다 잤다”

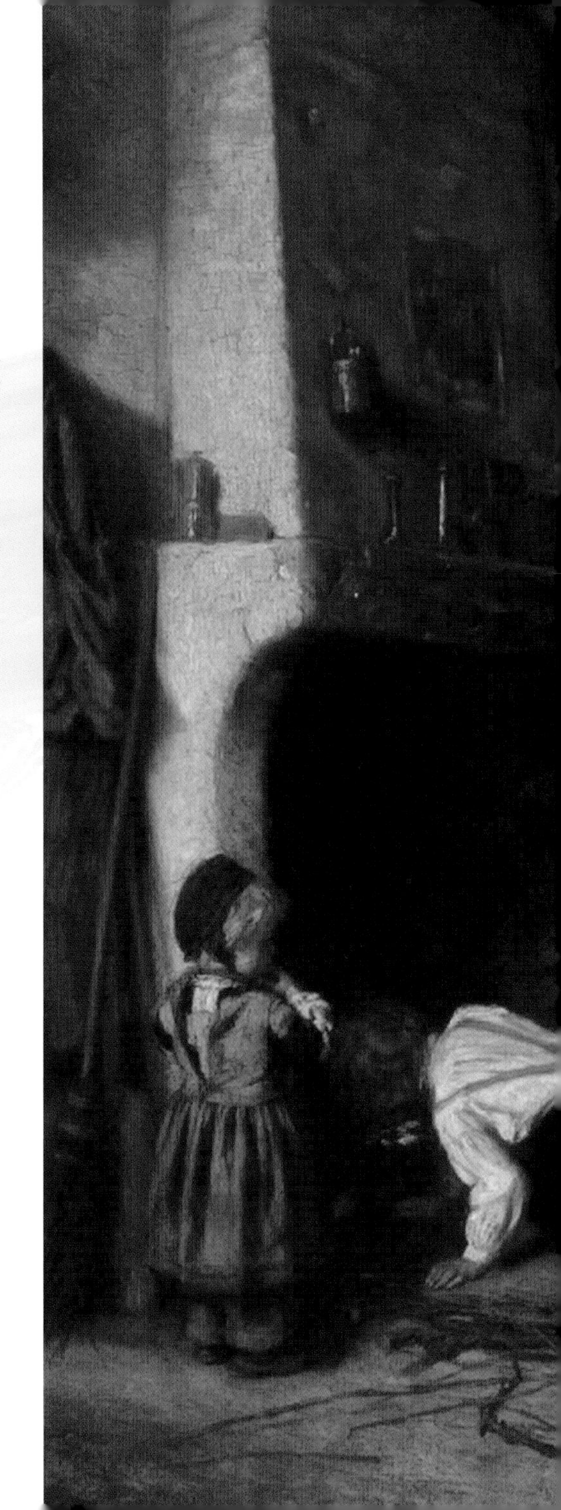

“멍! 멍!“

나는야 언제나 든든한 아기 지킴이 루루

그런데…

언제 일어날 거니?
언제 일어나 내 공 던져줄 거니?

“멍! 일어나– 일어나–”

깨워도 깨워도 곤히 자는 아기
꿈 속에서 루루와 뛰어노느라 깰 줄 모르는 아기

ELIZABETH

어제 우리집에 강아지 바니가 왔어요

“바니야, 이제 우리 가족이야. 내가 널 지켜 줄게”

엄마가 보고픈건지
아직은 낯선건지
종일 시무룩한 바니

“바니야, 우리 숲속 놀이터로 놀러가자.
그곳엔 눈이 초롱초롱한 사슴, 재빨리 달리는 다람쥐,
깡총깡총 뛰는 토끼도 있단다”

바니와 함께 집을 나설 거에요
재미있는 친구들을 소개해줄 거에요

농부 부부가 잠든 황금빛 들판

지푸라기 밟는 말발굽 소리에
단잠에서 깬 농부의 한 마디

“구름이 지나가는구나, 시간도 흘러가는구나,
내 마음의 걱정도 사라지는구나”

소란스러운 일상에서 벗어나 포근한 볏짚에 누운 이 시간

따사로운 태양과 포근한 땅의 기운과 뺨을 스치는 기분 좋은 바람까지

이보다 좋을 순 없을거야

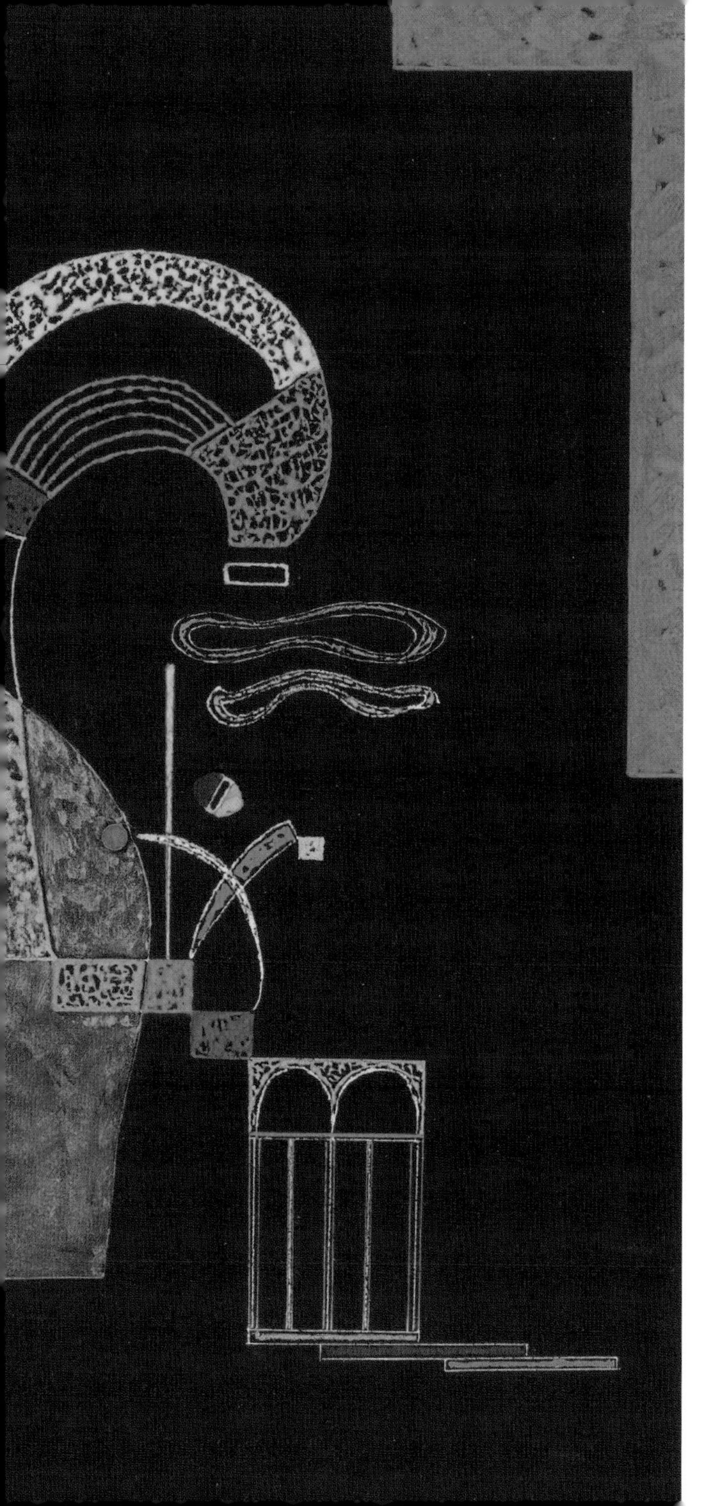

왁자지껄 집 앞 놀이터에
어둠이 내려오면
아이들이 하나 둘 집으로 떠나요

아무도 없는 캄캄한 놀이터에
어둠이 내려오면
별빛이 하나 둘 나타나요

"이제 우리들의 시간이야!"

밤이 되면 펼쳐지는 별들의 놀이터
지글지글 별들의 웃음소리로 가득 차고

어스름한 새벽이 오면
별들은 하나 둘 하늘로 돌아가요

"얘들아, 내일 밤 여기서 다시 만나!"

"정말 대단한 모험이었지"

요정 왕자는 지친 얼굴로 말했어
이제 막 모험을 끝내고 돌아왔대

어찌나 재밌었는지
시간 가는 줄 몰랐다는거야

"잠시 쉬어가자. 더 멀리 가려면 쉴 줄도 알아야해"

밝게 빛나던 눈을 감고
웃음을 머금은채로
꿈나라 여행을 떠났단다

그 모습을 지켜보던 작은 요정들도
모두 꿈나라로 떠났대

푸른 드레스의 공주는
이웃나라에 소문이 자자해요

아무리 시든 꽃과 나무도
공주의 손이 닿으면
세상 가장 아름답게 자랐대요

이웃나라 왕자는 그 소문을 듣고 찾아갔어요
그리곤 알아냈어요
공주가 꽃을 잘 자라게 하는 방법을 말이에요

그건 바로 공주의 깊은 잠 때문이었어요
공주가 자는 동안 꽃과 나무가 무성히 자라는 거에요

왕자는 돌아가 백성들에게 말했어요
"꽃과 나무, 곡식이 잘 자라게 하려면 잠을 잘 자야한다.
모두들 밤이 오면 일찍 자거라.
그러면 너희 집 마당의 식물이 잘 자랄 것이니"

그렇게 이웃나라도 울창한 숲과 예쁜 꽃으로 가득 찼답니다

“추울 땐 방법이 있어”

아빠 오리가 깃털을 모으며 말했어요

“다 같이 모여 하나가 되는거야”

아빠 오리의 말에
엄마 오리, 아기 오리들이 뒤뚱뒤뚱 걸어와
서로에게 몸을 기댔어요

“아빠, 아빠말대로 정말 따뜻해졌어요. 잠이 와요.”

“그래서 추운 겨울일수록 가족의 소중함을 더 잘 알 수 있단다.
가족은 세상에서 가장 따뜻한 둥지야”

마법사의 모자가 있대

그 모자는
꿈의 조각들을 모아서 만들 수 있나봐

꿈의 조각들은
깊은 잠 꿈 속에서만 찾을 수 있어

한 조각, 한 조각 찾다보면 모자가 만들어지는데
마법사에게 그 모자를 갖다주면 소원을 하나 들어준대

"네 재미있는 꿈이 내 마법의 모자를 찾게 해준 거란다.
소원을 하나 말해보렴"

오늘 밤 무슨 소원을 빌어볼까?

엄마를 생각하는 밤

꼬불꼬불 갈색 머리카락 위로
몽글몽글 떠다니는 엄마 생각

오늘은 엄마랑 같이 잘까?

아니야, 씩씩하게 혼자 잘 수 있어

내일 아침, 새가 지저귀면
엄마를 깨우러 달려가야지

귀여운 아기 천사들이 하늘에서 내려왔어요

“우리 꽃밭에서 놀자”

보드라운 잔디 위를 뛰놀며 간질간질 장난을 쳐요

천사들이 웃으면
세상에 기분 좋은 일이 생겨요

천사들의 웃음 소리가
온 세상 아이들을 행복하게 만들어요

Henriette Ronner
1903.

“오늘은 그만 자야지”

푹신한 이불을 두고
엄마 위에서 잠든 아기 고양이들

복실복실 부드러운 털들이 서로를 보듬어줘요

“잘 자렴, 아기 고양이들아.
내일은 더 많이 사랑해줄게”

FIRST ART BOOK 뭐야? 자장자장 / 작품 소개

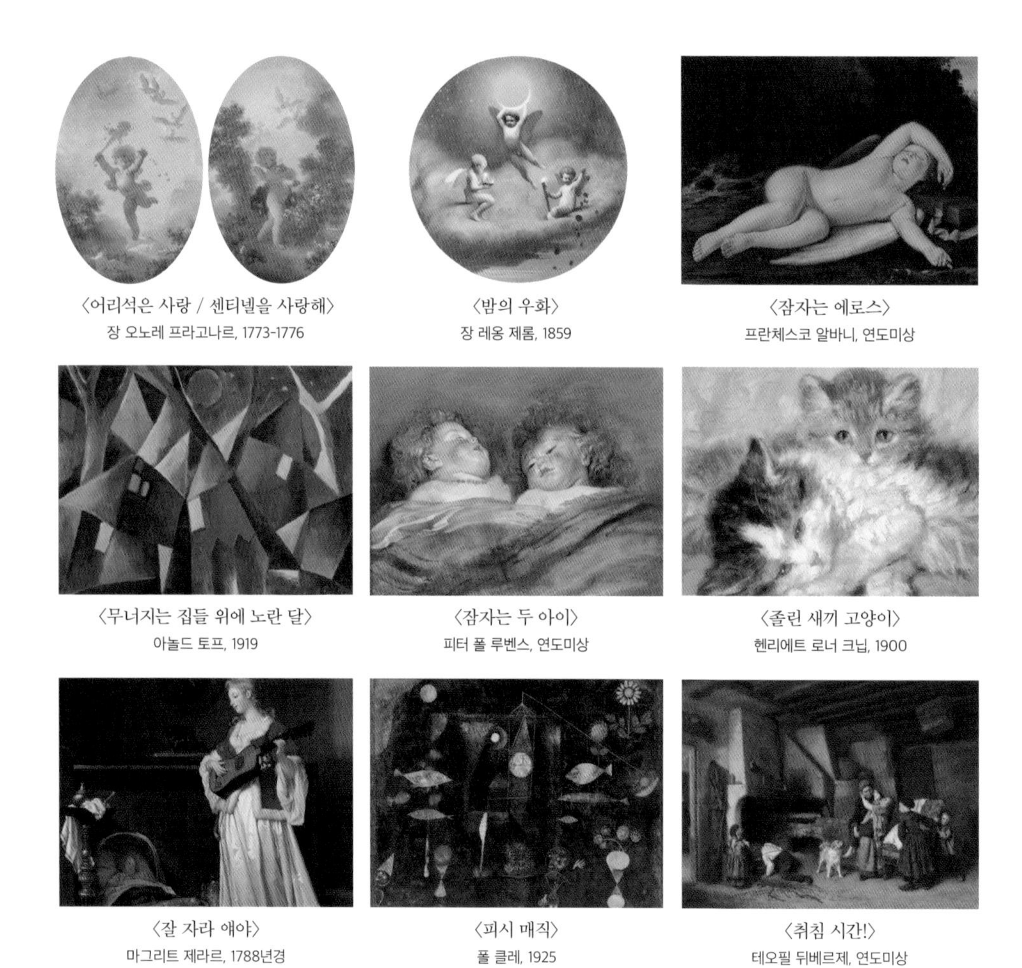

〈어리석은 사랑 / 센티넬을 사랑해〉
장 오노레 프라고나르, 1773-1776

〈밤의 우화〉
장 레옹 제롬, 1859

〈잠자는 에로스〉
프란체스코 알바니, 연도미상

〈무너지는 집들 위에 노란 달〉
아놀드 토프, 1919

〈잠자는 두 아이〉
피터 폴 루벤스, 연도미상

〈졸린 새끼 고양이〉
헨리에트 로너 크닙, 1900

〈잘 자라 애야〉
마그리트 제라르, 1788년경

〈피시 매직〉
폴 클레, 1925

〈취침 시간!〉
테오필 뒤베르제, 연도미상

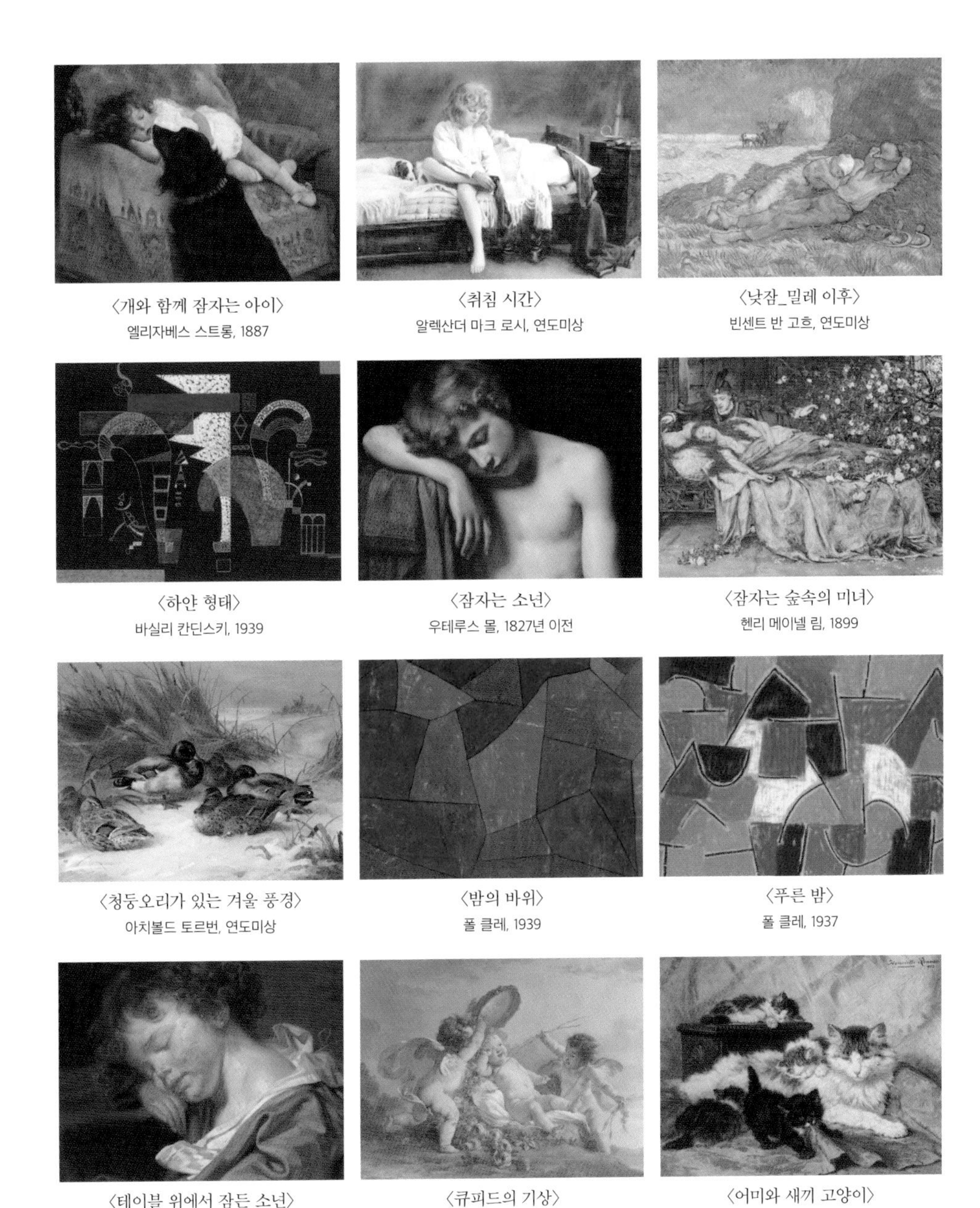

〈개와 함께 잠자는 아이〉
엘리자베스 스트롱, 1887

〈취침 시간〉
알렉산더 마크 로시, 연도미상

〈낮잠_밀레 이후〉
빈센트 반 고흐, 연도미상

〈하얀 형태〉
바실리 칸딘스키, 1939

〈잠자는 소년〉
우테루스 몰, 1827년 이전

〈잠자는 숲속의 미녀〉
헨리 메이넬 림, 1899

〈청둥오리가 있는 겨울 풍경〉
아치볼드 토르번, 연도미상

〈밤의 바위〉
폴 클레, 1939

〈푸른 밤〉
폴 클레, 1937

〈테이블 위에서 잠든 소년〉
장 밥티스트 그뢰즈, 연도미상

〈큐피드의 기상〉
휴즈 타라발, 1781

〈어미와 새끼 고양이〉
헨리에트 로너 크닙, 1903